시인의 말

쓰는 건 향연
쓰고 있을 때
시가 노래하러 온다

펜에 감기는 말의 숨결

전율과 전율 사이

아득한 모름 사이

말을 깨야 시가 나온다

새벽,
또 하나의 백지가 오고 있다

2024년 봄
동시영

차 례

1부

해석을 넘어가고 질문으로 간다
― 갬미페스[*]

갬미페스,
무슨 삶을 넘다가 이리 높은 고개가 되었나

광야는 진공처럼 고요하다

텅빔의 풍요-,
거대 바위 그릇,
흘러 담기는 원시의 액체

길은 길고 시간은 짧다
짧은 스커트, 시간 아래
길고 긴 갬미페스 다리 조금 보인다

기다림의 이정표, 나무
초록을 건너다니는 징검 다리
나무처럼 서 있는 사람 한 그루
시간에 뿌리 깊이 내린다

바람부는 날은 ㅍ이 바빠-

꽃들은 무슨 잠에서 깨어나나

---

[*] 스위스 로이커바트의 고개.

야생화 표기법
누가 하는 말인가
누가 떨구고 간 웃음 파편인가
무엇이 이리도 무늬 내려 보는가

과정만 연습하는 목숨의 길
오후 다섯 시가
금빛 길을 간다

시간은 부유하다
끝없이 오는 내일

해석을 넘어가고

질문으로 간다

생각은 누구의 주소인가
— "따라 오지 마!" 의 눈동자

내가 바닥이라 부르는 것을
아래층 사람들은 천정이라 부른다

집을 포개 놓으니 의미가 포개졌다

이름은 추상의 문고리
태어나면 물샐 틈 없이 이름이 된다
이름이 짓는 추상의 집으로 들어가야 한다

아파트 문을 잠그자 밖이 활짝 열린다
열린 밖은 사람을 크게 잠근다
소리 질러 일하던 공사장 소음이
인부 따라가 점심 먹나 보다
뻐꾸기 소리가 내 맘에 잠깐 앉았다 간다

산은 앉아서도 간다
지나가는 등산객이 그의 길이다
길과 풍경을 교환하고
등산복 색깔로 단풍을 만든다

아는 개미도 아닌데,
까만 무관심,

개미를 따라가,
자물쇠, 작은 문만 만나고 왔다

전화가 말을 건다

"메소포타미아전을 언제부터 시작하냐"고 물을 때,
'나를 언제부터 세상에 전시했나' 생각하다
'질문'을 호수에 빠뜨렸다
떨어지는 질문에 호수가 깜짝 놀랐다
놀람에서 빠져나온 물이 눈 깜빡이며
'흐름'과 언제 '결혼했나' 생각한다

물이 '갈증'에 젖고 있다
흐름에 다친 상처를 조금 아파한다

호숫가 나무가 허공에 가지 뼈로 시를 쓴다
봄 여름에 쓴 잎의 문장들을 가을에 날려 보낸 건
내가 본 '퇴고'의 최고 '명장면'이다

나무는 '허공'이,
시가 없을 때부터
시라는 걸 알고 있다

사람들이 주소처럼 길에 가득 서 있다

신기루가 말하는 "따라오지마!"의 눈동자를 닮았다

따라오지마의 주소들이 번지듯 나타나듯 스미듯하고 있다

그를 방랑하다
— 천전리 암각화

시간의 소가
신화의 가슴에서 풀 뜯다
안개 입 속으로 들어간다

나이나이 난시루 나이네 나이루

시간 삼거리,
어제 오늘 내일 위에

옛날을 되새김하는
돌이 된 소 한 마리

시간도 멀어지면 베일 쓴 매혹

때론, 미래보다 과거에 더 설렌다

그림 손으로 선사先史 살결 만지고
부호符號 속 향연으로 깊이 들어간다
키르나르 수가르 헤르혀 수마르타 나이나이 난시루 나이
네 나이루

얼굴은 본래 신이 주신 가면
가면 같은 남자 얼굴
암호 같은 눈빛

셀 수 없는 시간 너머
그가 나를 응시하고
시선視線에 길을 놓아
나는 그를 방랑한다
수가르 나르메 부카르 흐르카니 나이나이 난시루 나이네
나이루

과거와 현재는 너무 닮은 형제

목숨 건 먹이 사냥
성속聖俗 넘는 남녀 교합
불안의 짝 기도에
취함인가 몰입인가
니네 나네 난시루 나이네 나이루

늙지 않는 영원에
대답 없는 질문의 터

몸에 다녀간 생각들 같은
장소에 왔다간 동작들 나와
나이나이 난시루 나이네 나이루
나이나이 난시루 나이네 나이루

수평선은 물에 젖지 않는다

수평선은 물에 젖지 않는다
그리움에 젖는다

없음을 닦아내는 창,
물봉선이 피어 있다
여뀌꽃이 오고 있다

낙엽은 낙서

목숨의 오후가 붉다

외롭지 말라고
그림자 하나 따라온다

나 너 그리고에 입맞춤한다

춤추는 물컵

반쯤 열린 어둠
침묵을 악세사리로 달고

꽃밭으로 웃고 있는 편의점 지나
잠깐 슬퍼졌던 마음 건너
가을 열린 대문 9월 입구 안쪽,

쿳션, 커피잔, 믹서기… 처럼 앉는 카페 사람들

넘치는 말들은
다홍빛 번개

초엔 불을 붙여 녹이고
비누엔 물을 붙여 녹이고
사람엔 시간을 붙여 녹이나?

바다도 결국 물 담긴 큰 컵
춤추는 물컵이지

구름 하늘 소금밭
너무 많이 바라보면
눈이 짜

세상은 미끄럼 판
미끄러움은 새것의 입구야

행복은 필수 도구
쓰는 방법을 익혀야 해

하늘도 사람처럼
낮의 눈동자, 해
밤의 눈동자, 달
두 개의 눈동자를 가졌어
별들은 찬란한 나머지들이지

생각에도 새싹이 난다고
계절을 넘나드는

부부는 서로의 등대야

못난 건 잘 난 것을 비춰주고

사람도 거울
남의 모습만 보여 주는

마음도 너무 많이 쓰면 닳아빠져

어제를 밀면 오늘이 나와
미닫이 문이지

세상도 사람도 여백 많은 그림
모르는 것이 더 많은

사람도 결국 큰 가리개야
·················

말의 번개가 생각의 초원初原을 두들긴다

말들이 카페를 연주한다

"아메리카노 리필 가능한가요?"

사실 같은 것들이 번쩍이며 조명하다 가고

순간의 틈새로
비밀들이 들어 온다

채널 9.20

채널 '9.20'을 켠다
오늘 화면이 환하게 온다
날마다는, TV화면보다 더 먼 곳으로부터 온다

안개 크림을 듬뿍 바른다

새들이 나와 소리방아를 찧는다
큰 '확確' 처럼 '확' 트인 야산이
일제히 음악을 찧는다
리듬의 즙이
꽃향유 구절초 오이풀 용담 각시취… 꽃잎에 스민다

다람쥐가
사람들 얘기 소릴,
식탁 삼아 밥 먹는다

천 년 주목 숲길,
과거면서 현재,
오 백 년 전 시간도, 천 년 전 시간도 나와
나무들과 나란히 춤추고 있다

나뭇가지와
생각의 가지 사이로
신라와 고려가 웃고 있다 간다

팔왕눈이 주목이 여덟 개의 눈을 떴다

사람들의 시선 경계 그 너머에

'눈평선'을 긋고 있다

태초보다 더 이른 시간으로 가
메아리처럼
울려퍼지고 있다

장소의 카니발 속,
오래된 과거도 현재의 가지로 크게 자라나고 있다

리기산*이 시 속을 지나가다

마음이 쑥쑥 자라난다 가지친다
행복의 무게처럼 가벼워진다

길들은 빨랫줄
우울을 널어 말리는

씨앗처럼
안개에 풍경을 빠뜨려

커 오르는
산정 흰 눈-,
지우개, 녹빛, 파랑…

흐름만이 길
제 자리는 본래 없다

먹빛 수묵인가
터너의 그림인가

마음, 다
리기산 안개로 흘러가

---

* 스위스의 산.

안개, 다
내 마음 속으로 흘러 와-,

원시가 줄줄 새는 빙하 폭포

내가 봤던 풍경들을
"으르렁" 쫓아내는
번뜩이는 신화의 몸

리기산 백지인가
알핀 설원인가
시의 산봉우리
자라나는 현재*인가
기적만이 생필품
맥박마저 너의 리듬

그때 쓰는가?
지금 쓰는가?

리기산이 시 속을 지나가고 있다

---

* 르네 샤르, 〈마르트〉에서.

생각을 발가벗기다

대답으로 하얗게 닦이는 질문, 새벽

어제 오늘 내일 시간 포장지

시작이 뛰어다니는 아침

소음을 따르는 도시

맥주잔처럼 넘치는 귀

거리를 잘라내는 흐림, 가위

습관에 오늘이 갇혀
책이 사람을 읽어
한 몸 속 두 몸 세 몸… 생각-,
서로 만져보다 만 가지로 흘러가

흔들림인가?, 기다림인가?, 사람들인가?
낮의 형광등, 빛나도 빛나지 않아

앉아 있는 사람벤치
걸어 보고 싶어

사람에 가 앉아 보고 싶어…

'생각을 발가 벗긴다'

정말 원하는 게 뭔가 보기 위해

"네가 정말 원하는 게 뭐야?"

벗긴 생각이 웃고 있다

그를 오래 바라본다

푸른 건반, 베른

땀으로 질끈 동여맸다
뙤약볕, 아레강*

길게-,
한 번 더-,
흐름을 힘껏 눌러 준다-,
푸른 건반-

새 떼 날자
허공이 싹튼다,
팔랑이는 깃털잎

강물이 흘러들자
사람들 흘러들고

오래된 건물들 나와,
마음 새로 지어 준다

떠돌이 가수 목소리 따라가,

잠깐 떠돌다 온,

---

* 베른을 흐르는 강 이름.

골목 어깨 들썩이고
후렴구 닮은 반복옷 허리춤-

시간 묘약 먹고 왔나 ?

빨강을 태워
힘껏 달리는 트람

아인쉬타인 카페 앞,
그가 쓰던 공간에
사람들 마음 공처럼 튀어 오른다-

흰 머리 둥근 컬,
그 닮은 인형 눈빛 속에 들어가,
잠깐 멈춘다

성당의 종소린가
중세의 목소린가
그보다 더 오랜,
사람 맘 하나씩 울려 준다

오랜 시계탑 위,

무엇으로 시간은
흘러가는가?

흐름은 길다
흐름의 꼬리는
먼 곳에 있다

줄장미가 피어나는 생각

여자가
"밥보다 마음을 더 잘 먹어야 한다고" 말하자

남자가
"마음보다 밥을 더 잘 먹어야 한다" 말한다

모르는 '나'를 따라가다
키 큰, '습관' 따라 시장엘 간다

제철 없는, 물건들 사고 파는 시장 속
팔리지 않는 신新풍속이
제철처럼 싱싱하다

'껍질'이 몸에 어울리는 옷을 오래 골라 사자
'알맹이'도 맘에 어울리는 옷을 한 벌 산다

밤이 어둔 방에 불 켤 스위치를 사자
낮이 어둔 맘에 불 켤 스위치를 산다

카페가 내게 다가오자
'슬픔'과 '기쁨'이, 누굴 만날 거냐?
앞다퉈 묻는다

'빈 칸의 카니발'을
혼자 팔고 혼자 사고
가끔은
나쁜 생각에 팔려나간다

'버르장머리미장원' 앞
버릇없이 막자란 줄장미가
사람들 생각을
찌르다 놓다, 장난치고 있다

군산

한낮 군산 햇살,
흰살 생선보다 더 희다

삶은 한 묶음 허기

무엇이라도 움켜 잡으려,
어부는
자주
그물을 던진다

양어장 같은 집들,
치어처럼 자라나는 사는 얘기들
익혀도 익혀도 날 것 같은 삶
갓 잡은 생선처럼 빠져 나간다

놋그릇처럼 닦아야 윤나는 옛날 거리,
잘 닦여 반짝 눈 뜬 놋그릇 가득
흰찰쌀보리밥을 비벼 먹는다

바다 속 얘기를 알알이 담아 온 날치알들이
"까르륵" 웃음으로 쏟아지고 있다

멸치 떼처럼 몰려가는 사람들 넘어
지나가다 들려 가는 오랜 친구처럼
풍경이 잠깐 안부 묻고 간다

삶은 지나감으로 익히는 과일
길 가, 담 너머 감이 익고 있다

낮으로 구운 숯,
까만 밤에,
누군가 울긋불긋 불 피우고 있다

눈뜰 내 놓고 웃다

겨울이 흰 이빨,
눈뜰 내 놓고 웃고 있다

꼬
불-------
거리는 파마한 여자들
세상 위,
저마다의 무늬.
발자국
속

"밑 빠진 독에 물 붓기야, 너랑 사는 건"
핏발 선 여자, 통화 목소리 튕겨 나오고
"누구랑 살아도 결국엔, 밑 빠진 독에 물 붓기야"

남자 목소리, 없었었던 듯 사라지고…

황량을 저울질하는 겨울 나뭇가지
기어가다,
죽은 척 움츠리는 벌레처럼

사람들도
죽는 척,
살다가 다시 태어나나?

사는 척 살다가 죽고
죽는 척 죽다가 사는가

살았다면 산대로 사는 건가?

겨울 바람 속,
섞임이 새 피를 돌리고 있다

생화生畫

저녁,
달이
달빛 뜰채로 고요를 채집하고

귀의 휘파람,
바람이 분다

날마다는 지금의 딸

생각을 접으면
생각이 펴진다

늦저녁 식사,
남자들이 모여
먼지털개 같은
시끄러운 입들고
수다 떨고 있다
먼지를 털고 있다
너무 바빠 먼지가 쌓였나 보다

물의 스테이크,
얼음

얼음 먹여 키운 맥주,
열 받은 속에 '벌컥', 먹인다

사는 건 스스로를 밟고 가는 길

후두둑 빗방울,
아직,
물감도 마르지 않은
생화生畵 한 장
전시 중이다

수수 이삭과 고추잠자리와 액자들

붉은 잉크로 똑딱이는 풍경 심장

곡마당 멍석인가, 네모난 밭인가

수수 이삭에 앉은 고추잠자리 결코 수수하지 않다

날아가던 꿩의 노랫소리, 계곡물 소리,
다람쥐 눈빛, 돌의 생각빛…
바라본다
                    …
              … 액자가 된다 …
                    …
        '액자들이 깃털처럼 날고 걸리고'

길은 손잡이
먼 곳을 여는

수직을 벗기고
수평을 벗겨

시간 한 켤레
공간에 신겨

무거운 바위라도
사탕처럼,
맘에 굴려,

안개 종소리 오로라 살결눈[眼]……

라이락빛 샤갈 마을 꿈꾸는 몸들

'와르르' 쏟아지는 갈채 꽃송이,

바람의 종을 치다

빈센트, 테오
오베르쉬르와즈
모든 길은 그들에게로 간다

한 번씩 죽어 봤던 일밖엔
아무 일도 없었다고

죽은 듯 값도 없던 그림도
비싸게 살아나 세상을 돌아다닌다고

한 핏줄로 얽힌 초록 아이비,
다만,
조금씩 확장할 뿐이다

슬픔 아니면 갈 수 없는 곳에
너무 많이 갔었다고
오베르쉬르와즈 교회 아직 기도 중이다

그림 속 까마귀 여섯 마리 날아 나와
들판을 키우는 침묵의 무게를 달아 본다
까만 깃털로 초록 들판 한 번 더 그려준다

흰 웃음이,
등에 하늘 업고
아몬드 한 그루에 와 가득 달려 있다

오랜 과거라도,
한 번씩 더 돋아나 보라고
봄이 틈을 조금 더 내 주고 있다

몰려다니던 사람들,
아이리스꽃 빛 생각 얼굴에
압생트 한 잔씩 발라주고 있다

중얼거리는
익명의 목소리가,

바람의 종을 치고 있다

그 새가 보고 싶다

꽃집
쥐똥나무에
새가 날아와 집을 지었다

새는 가끔 들러 놀다 간다 했다

꽃집 주인은 별장지기가 되었다

물도 주고 거름도 주고
언제, 주인이 올지 몰라
오늘도,
가지 사이로 난 푸른 창까지
깨끗이 닦아 놓았다

하느님처럼 내려다보는 시선을 뜨고

언제
새가 쉬러 올지 모르기 때문이다

오늘도
그,
새가 보고 싶다

시간에 붙어 있는 이끼를 떼다

삶은 기울기에 얹히는 각도

아유타 허황후, 가락국에 기울어
파사婆娑탑 파도 눌러
가락국 수로 만나

신화 말 미래 가면
귀는 더욱 과거로 가

이야기가 묻고
대답이 질문한다

허공엔 '바람문자文字'…

세상 모든,
모름보다 말의 부피 커올라

이야기의 산종散種, 의미와 무의미

시간의 채색,
사라짐의 나타남

텅 빔은 신성의 땅
산 낮아 하늘 깊어

구지봉 마음 통화,
하늘 말에,
사람 노래

기억을 닦아내,
망각을 망각해

시간에 붙어 있던 이끼를 떼어 내-,

화들짝,
놀라 듣는
가락국 그 목소리

삶이 나 몰래 태어나듯
— 타이페이 용산사龍山寺

태어났는지 모르고 태어났듯
가지 않았는데
도착한
타이페이 용산사龍山寺

삶이 나 몰래 태어나듯
나 몰래 기도가 걸어 갔나?

이름표 같은 얼굴들

몽상을 풀어 놓는 바람

소원이 풀려나오는 종소리

믿을 신에
믿는 사람

불안이 밥이다

'챙모자처럼', 지금을 살짝 눌러 쓰다

표정은 얼굴의 얼굴

'물끄럼'하던 한낮이
마림바 리듬에 빠진 빗방울들과
시간의 탱고로 들어간다

비 올까 해 날까 망설이던 하늘
햇살 속에 춤춘다

챙모자처럼 지금을 살짝 눌러 쓴다

악기를 떠나면서
음악이 되는
바이올린 소리처럼

해 따라 비 따라 흐르던 하루가
노을 현에 울려 퍼지는 교향곡이 된다

황혼 속,

작은 개미가
큰 짐을 나르며 비틀댄다

짐이 아니라 목숨을 나르는 거다

존재 삼각형

궁금증을 팔러 나왔나?

세상은 목숨 박람회

사랑이 그린
존재 삼각형
아버진가?, 어머닌가?, 그인가?, 그녀인가?

지금은 시간 돌에 박힌 보석

시녀처럼 따라다니는 그림자

세상은 오래된 통조림

시간 간이 짭짤하다

2부

제주, 시간 민속촌

날마다는 시간 민속촌

낯선 사람들이
살다
놓고 간 '오늘'

빗줄기 속
제주 민요가
들명날명한다

모르는 사람들은
흐림 속에 뜨는 햇살

네게, "어디서 왔냐"고 묻던 사람들이
"모르는 곳에서 왔다"며
모르는 곳으로 가고 있다

바람에게 전하는 말처럼
꽃이 진다

꽃에 살던 빨강도
어디론가 가고 있다

꽃나무 가지가
헐거워진
몸의 나사를 잠깐 조인다

누군가
또
구름 맥주 한 잔 따르고 있다

속도 안에서

먼 곳의 폭포 한 줄기
기차의 속도 속으로 흘러 내리다가
생각의 속도 속으로 흘러들고 있다

내 맘에 떠돌던 생각의 '때'와
서로 먼 곳이 되어 바라본다

'거리'가 나를 닦아 준다

속도를 열면 내가 보인다

속도가 나를 달린다

지나감이 나를 본다

꽃 필 땐 지는 시간도 핀다

언어가,

"계속은 계속을 없게 해"라고
말하는 동안

말 없는 세상과
말하는 사람
사이로
꽃이 피어난다

꽃불났네 불갑사!

꽃 필 땐 지는 시간도 핀다

벨소리처럼 사람을 부른다

십이월

십이월,
살진 무無의 계절

허공에서
실한 무無를 뽑아올린다

하늘밭에서도
누군가
구름 뿌리를 쑥쑥 뽑아내고 있다

깨진 병

길 가.
주둥이가 깨진 병 하나 서 있다

무슨 말을 하다 입이 저리 깨졌나?

허공이 다 받아 들어 주고 있다

깨진 병을
라디오처럼 틀어 놓고
듣고 있다

칠월의 체온

38도,
칠월의 체온이
사람들 체온과 불꽃놀이 한다

알 수 없이 정해진
질서와 질서 사이
흐르는 땀방울로
죄 없는 죄 씻는다

과거는 가질 수도
줄 수도 없고
잊을 수도 버릴 수는
더욱 없는 것

지금은 노, 시간을 저어가는

미래는 언제나 찬란한 유혹

새벽은 날마다 매혹의 몸매
한 가지 몸짓만으로
오지 않는다

황혼,

그 위에도

무지개가 뜬다

0도의 흐름

하늘이 납작 엎드린다
비가 온다

수직을 지우자
수평이 뜬다
0도의 흐름이 핀다

떠돌이의 눈물 꿰매기,
--------눈물 박음질

집시 춤 홀라멩꼬
파두 타는 소리

하늘이
땅 부르는
소리 귀걸이

물의 북소리, 허공 중립 떨림
하늘 뿌리 내려,
원시 햇불, 물의 눈동자,

무의식 파편, 횡설수설 말 섞임

소리 글자 지우는, 무음의 진동

0도가 흐름을 지운다

판화전

인산인해
인사동 네거리

찍고 찍혀 나온 생생한 판화 속
박수근 판화전이 판을 벌렸다
'빨래하고' '기름 팔고' '집으로 가고'

판화와 판화 사이
구경하는 나도 판화

서로 봐 주는
판화와 판화 사이

세상은 거대 상설 판화전
판화가 없을 때도 판화는 있었고
복사기가 없을 때도 복사는 있었다

찍고 찍히고
찍어 걸고,
날마다는 나와
발자국으로라도 찍고

봄날은 더욱 판화의 계절
매화, 라이락, 산수유, 매발톱꽃…

그 미소에 그 향기

탕탕 탕탕
판화 찍는 저 소리

판소리 한 판처럼
가락 나와 춤춘다

나를 여는 문

날마다는 '나'를 여는 문

일회용 하루 속
갈수록,
일회용 웃음, 울음, 컵을 즐겨 쓴다

일회용 사랑도 좋아한다?

일회용 태어남도 좋아할까?

일회용 순간,

찰랑 넘치는, 지금은 생것

맛도 모르고
삶을 꿀꺽 삼키지 말자

힘듦도 더 이상 시중들지 말자

슬픔은 긁을수록 주인 행세 가려움

선택은 마음 습관

태초의 배꼽들아, 산, 들, 바다야

어제는 들리지 않는 말

오늘이 고개를 끄떡이자

시간이 주춤거린다

흰 머릿카락 나부낀다

'다회용 세상을 설거지 한다?'
비가 온다

초록빛 고독

허공은 영원의 몸

세상은 그림 족속

침묵하는 말

기쁨과 슬픔과 하나 되다가
행복이 놀러 오는 놀이터가 된다

삶은 시간을 따라다니는 그림자

신비에 손가락 하나 걸고 산다

세상은 갈대밭
갈등 많은 사람들

바람 없는 오늘
나무들이
초록빛 고독에 잠겨 있다

장난감과 생각

장난감을
'잡고'
재밌게 놀던 아기가 갑자기 울기 시작한다

계속 잡고 있기가 너무 힘들어 울고 있다

어떻게 놓는지 아직 배우지 못했기 때문이다

어른도,
마음의 손이 오래 잡고 있는 슬픔을,
어떻게
'놓는 줄' 몰라,

오래도록 울고 있을 때가 있다

오늘 반 조각

시간은 껴 입을수록 춥다

늦가을,
시간을 두툼하게 껴 입었다

먹을수록 배고픈 시간

정오
오늘 반 조각
다
먹고나니, 배고프다

갈수록
딱딱해지는 사람들 마음에
물을 주는가?
비, 내린다.

지구별 씨앗 하나, 사람

지구에 싹튼 것만으로도
별을 딴 것이다

메아리 길

팔월 더위엔 그늘이 태양이다

시간은 갈 곳 없어도 간다

산보다 자꾸만 커지는 빌딩
도시의 산들은 사람보다 불안하다
날마다 까치발 띄고 빌딩만 쳐다 본다

커지는 도시에 눌려 사는 사람들
사람 밀림 속 기계 앵무 말한다

소음을 들으면 눈물 돋는 건
수 없는 목숨 소리 거기 있기 때문이다

저마다는 무지개
어디 뜬지 모르는

반복은 메아리 길
어제처럼 산다

시간에 베인 상처

누설된 비밀처럼 태어난 사람들

환하게 열리는 신호등 눈짓

십일월,
계절의 건널목

지금 누가
'시간에 베인 상처'를 아파하지 않을까

지우개 계절에 무얼 써 넣을까

하루는 끝없는 날마다의 싼티아고

책이 달빛을 읽다

어둠을 만들자, 빛이 나와 논다

보름달이 달동네 주민처럼 골목에서 나온다
천 원에 한 권 파는 헌책방에 들어가
"달과 육 펜스"를 읽는다

책이 달빛을 읽는다

세화네 그릇 가게
반달 보름달 접시들 구경하자
경아네 조명 가게
초승달 온달 조명 기구 내다 본다

가짜 빛들이 달빛을 조금씩 벗겨낸다

달고기 닮은 생선가게 아저씨의
코골이 잠물결 소리 지나가다
주차장 모퉁이 홀로 싹튼
달맞이꽃에 앉아 한 잎, 두 잎 꽃피어
본다

반은 쓸쓸하고 반은 노랗다*

사람들이,
달로 가는 길을 찾아내고
신비로 가는 길을 잃어버리자

달이
신비로 가는 길을 찾고 있다

신비가 제 자리를 잃었나 보다

순간이,
과거가 되지 않으려, 파르르 떨고 있다

희끄므레 낮달 얼굴 사람들이
가난의 뜰을 비추러 떠오를 때까지
밤은 오래 어두울수록 좋았다

---

* 백거이의 「모강음」 제2구, 半江瑟瑟 半江紅의 변용.

카페, 미로迷路

세상을 조금 떼어내 우린다

차향茶香 속 깊숙이 들어가 놀아 본다

세상은 너무 크고
나는 너무 작아
어디든 들어가 놀아 볼 수 있다

차 향기 길 따라
책상 위 유리벽에
하늘이 왔다

하늘에 시를 쓰자
구름이 읽고
눈雪 미소가 녹는다
피는 하늘과
지는 생각들 모여 재깔댄다

오늘은 마법의 정거장

사람들,
모르는 곳처럼 출발하고

아는 곳처럼 도착한다

공간이 시간 속으로 흘러들고 있다

시간의 목소리

세상은
허수아비 공방

폐허처럼 버렸던 허공도 갈아엎고
허리 굽혀 경작하는
까마득, 건설 현장

음식 냄새로 포장한 맛집 거리
벗겨진 포장도로 안쪽 깊이 스며들고
추억 한 토막씩 구운
모듬 생선구이에
발아하지 않던 씨처럼
아득함들이
내 마음 흙 속에서 나와 싹트고

회색빛 닮은, 모른 척으로 색칠한
낡은 마음에도
옛날의 골목에선
시간의 목소리가 들린다

"물은 죽지 않는다"고

해운대 모래사장 너머
파도가 말한다

파도가 발목에 걸어 준
파도 발찌,
마음에 와 반짝인다

수평으로 누운 땅이
수직의 역사를 건설하고 있다

지금은 신기루, 가 보면 없는
— 공용발자국

혼적은 새김
사라짐에 찍는 인장

발자국도 없이 잘도 가는 물 가,
아직도
가지 못한 공용발자국

시간에 떨어진 낙엽들인가
바위에 새긴 목숨 눈물 방울인가

발로 새긴 암각화에
주술 외는 바람 물결

지금은 신기루
가 보면 없는

삶은 순간마다

지금에의 홀림

에덴의 언어

일요일은 토요일의 달콤한 후식

나비는 춤의 길

포근포근
에어 침대에서 잠 깬
신비마을 요정,
풀, 꽃, 숲

아가 옹알이 에덴의 언어
말보다 웃음이 더 많이 말하고

오목눈이 새가
오목한 세상에 앉아
볼록볼록 가슴 부풀려 노래하고 있다

분실

내 맘이 고요를 분실했다

고요를 찾으러 강가로 갔다

물은 상처를 아파하지 않았다

바로 지웠다

사람이라는 곳으로 가 보다

오월,
줄장미가 줄지어
꽃이라는 곳으로
가 보고 있다

해마다 가도 아직 다 못 간 모양이다

담에서 벽으로
끝없는 행렬

길에서 길로,
사람들 줄지어
사람이라는 곳으로
가 보고 있다

목숨은
다,
붉은 장미

다만, 가 보는 곳이다

3부

시계처럼 눈뜨다

목숨의 열쇠로
세상 짤깍 열어 본다

있음과 없음,
두 대의 악기가 연주하는 풍경,
연풍 풍락헌*이 섬으로 떴다

시간 농담弄談,
꽃이 피고 진다

지는 붓꽃 잎이
사라짐을 그린다

그리다
지우다
사라진 김홍도다

길 가,
뽑힌 풀꽃이 허공에 깊이 뿌리내린다

초록 보리밭 속,

---

* 조선시대 연풍현의 동헌, 단원 김홍도가 연풍에서 현감을 했다.

내일의 눈,
씨가,
시계처럼 눈뜨고 있디

마라도

몸과 마음은 언제 처음 만난 건가

삶은
몸과 마음이
사귀는 시간

목숨의 망망대해,
한 마리 미끄러운 생선을
힘겹게 잡았다,
기뻐하다,
싱싱하게,
놓아 주는 것

마라도 바닷가,
누군가,
잡은 생선을
웃으며 놓아준다

"너 때문에 즐거웠던 것 알지?"

그의 말이,
한 마리 생선처럼,
파도 속에 뛰논다

표류

삶은 탄생에 부딪힌 표류

하나라서
기쁘고,
슬픈,
하나,
사람

끝없는 표류 속
너와 나는 딴 몸

너와 나 경계가 있어
너를 사랑할 수 있다

차창 관광

태어나는 건 지구에 탑승하는 것

허공 차창 너머,

수수만 년 차창 관광,

달도 보고 별도 보고

4호선 타고 명동 가듯

몇 호선 타야, 달엘 가나?

아직,
공사 중이다

흐릿한,
미개통 노선도가
은은한 미소를 보내고 있다

유리 존재

헐렁해요, 지금,
큰 옷 입은 몸처럼

칠월 나뭇잎
무성한 잡념

잡념은 오래된 생각의 쉼터

의식에 잡히면 무의식이 도망간다

헤매이지 않는 곳엔 마음이 없다

마음은 오래 된 헤매임의 낙서

자세히 보면 없다

투명한 유리 존재

시간에 닳아빠진

그, 눈빛 찬란하다

노동의 계절

철거 공사장
여윈 인부 한 사람
자신을 철거하듯
일하고 있다

비보다 땀에 더 많이 젖어
피로가 나와 하품하고 있다

후두둑. 빗방울 더 많이 떨어진다
하늘도 너무 힘들어 땀 흘리나 보다

삶은 노동의 계절

가끔씩 짠 눈물 흘리고 산다

진달래 한 그루
물끄러미 피고 섰다

깨진 시간 소리

갈수록 태양 볼륨 커지고
생생한 살빛 미소
나부끼는 모래 꽃송이 틈,
물이 물고 온 넘치는 것들, 파도

여름 빨대로 시간을 빨아 먹는 사람들

모래,
잃어버린 모양들은
다,
어디로 날아갔나?

바다,
푸른 용광로,
녹아버린 모양들은
다,
어디로 흘러갔나?

부서진 형태, 거울, 파도

파그락 빠그락
깨진 시간 소리

비의 거주자

어제는 아직 시들지 않았다

어제 내린 삶의 생기 속

목숨 습기 촉촉하다

비의 거주자,
빗 속에 서 있는
제주 조랑말

등에 꽂아 심는
빗방울 씨에선
물방울 싹이 돋아나 쑥쑥 자라난다

몸에게,
죽음이라도 잃어버리게 하려는 듯
물속 목숨에 죽은 척 빠져든다

한라산 기슭
초록 목숨 속

혼자 있는
하나에 깊이 살아 있는

저,
몸뚱이

망각을 색칠하는 하양

역사는 남겨진 꼬리를 밟고 가는 길

꼬리를 밟자, 보이지 않던 몸통이 꿈틀한다

강화도령 살던 터, 용흥궁
짧은 하루가
길고 긴 역사를 쓴다

옛터는 메아리 몸

오늘만이 한 점 밝음

허공은 텅 빈 거리距里

하늘보다 가까운 시선은 없다

망각을 색칠하는 하양[白色].
눈부시다

기억의 형용사
― 씨의 집

어제는 나를 따라 왔을까

풀처럼 뽑혔을까

시간의 자식으로 커 오르는 내일

꽃 입고 걸어온다

저 봄은 몇 살일까?

봄처럼 생각은 늙지 않고 자란다

기억의 형용사
계속의 몸

입도 생각도 모른다

하루를 찾으면
하루를 잃는

갈등을 먹여 살리는, 마음 하나 지나간다

시간이 뿌리친다, 씨의 집, 공간 숨터

종로를 걸어가며
종로 닮는 사람들

오늘을 힘껏 짜,
시간 즙을 마신다

원본은 지우고 카피만 읽는다

새벽이
암탉처럼 '꼬끼오',
낳아 놓은 문자 세 알

에어컨 문 열고
들어오는
가짜 겨울 바람

그렇게나,
봄이라더니 여름?

시계판 오늘 속
바늘 같은 사람들,

원본을 지우고 카피만 읽는다

숨은 신

가을은 뺄셈만 하더니
봄날은 덧셈만 한다

나란한 복사꽃들
옛 미소에 떠 있고
미로 속에 반복이 환하게 웃고 있다

허공이 붐빈다
꽃 나그네 웃는다

가장 귀한 것들에겐
보이지 않는 길이 있다

반공중 어디쯤
알 수 없는 그곳

비단 살 꽃길

만져보는 봄날

마음과 먼지

마음도
몸처럼
지나가며 먼지를 낸다

가끔,
마음 밑바닥에
갈앉아 살던
슬픔을 일으킨다

습관은 상징이다

갈등을 낙타처럼 타고 다니는,
이름표 같은 사람들 얼굴 너머,
누군가 도토리를 줍는다

자기도,
모르는 어디선가 주워왔다는 듯

일년내 해와 달 오르내려,
둥근 사과 능선

해처럼 달처럼 가지 위에 떠올랐다

습관은 상징이다

범람의 형식이다

대나무

대나무 밭에선
공허가 허공보다 푸르다

텅 빔에
매듭이나 있듯
마디 매듭 놓는다

가득 비워질 때,
마침표,
꽃 한 송이 피운다

취한 물

누에 같이 흰 몸 폭포
시간 뽕잎 먹다가
물의 실을 뽑는다

물은 세상 담은 그릇

물 한 컵 마시려다
세상 한 컵 마시고

취한 물,
술 마시고
시간 안주 씹는다

해, 달, 봄, 여름, 가을, 겨울,
아이들이,

숨바꼭질 놀이한다

내일을 잉태한 오후가
뚱뚱하게 지나간다

오징어

몸이 화살표다

어디로 가라는 화살표인가?

온 바다 헤매는 화살표,

따로, 방향할 곳이 없다는 거냐?

사는 건,
그냥,
헤매는 거란 말인가?

마음 무게가 반이다
― 곰소

본능이 길이다

흐린 세상 저어
한 마리 황토 물곰
곰소에 간다

곰소는 칵테일
황홀한 섞임

안개는 크기 축소
색깔은 깊이 잠금

손 안에
쏘옥 드는
바다 장난감

세상은
삭고 삭아 곰삭은 젓갈

곰소 젓갈 짜고 짜게
한 입씩 맛보고
흘러가며 삭고 삭은 유행가를 부른다

먼발치 섬들 나와 어깨춤에 섞돈다

숲과 요정과 아낙

-정선바위솔 다람쥐 솔체와 놀던
'숲의 요정'이 아낙을 바라 본다-

아낙이 계곡물에 배추를 씻자

소금쟁이 나와 간을 맞춘다

고추잠자리
날다,
앉다,
고춧가루 뿌리자,

이내, 찰랑이는 계곡 물김치

물가 물봉선 맛보다 함박웃음

흐렸던 하늘도 어느새 햇살 웃음

반공중 흐르는 새들 노래 소리

-정 많은 '바람 요정'이 아낙 치맛자락, 살짝 열어보다 날아간다
뒤돌아 본다-

오갠, 넷캔, 꿈캔

화가의 꿈에 중국 황자皇子가 나타났다
모란꽃 속에
그녀가 황자의 의자를 그렸다

꿈의 눈높이에 그림을 걸자
쌕쌕대며 쿨쿨대며
그림이 꿈 속으로 들어갔다

그림 속에 의자가 있다
앉기 좋은 높이에 걸어 두었다
앉는 척 사람들이 사진을 찍자
사람이 그림 속 의자에 앉아 있다

그림 속으로 들어간다
스푼펜 오켄
바림 버닝처럼

한 번 찍으면
꿈에 앉고
한 번 찍으면
그림에 앉는다

찍고 찍히며
오캔 넷캔
꿈캔한다

꿈 그림 사진 사람들 나와,
몸짓말로
끝없이
울려 넘친다

삶에의 영감과 직관의 순례길
— 동시영 열 번째 시집『수평선은 물에 젖지 않는다』

방민호(문학평론가, 서울대학교 국문과 교수)

0. 이 시인의 시 쓰기 방법

시를 쓰는 방법에는 두 가지가 있다. 하나는 구성하는 것. 허구적이라도 의식적인 구성이라는 믿음 아래 시어들을 계획적으로 배치한다. 다른 하나는 오는 대로 쓰는 것. 시적 영감이야말로 시의 원천이라고 믿어 의심치 않는다.

이 둘 가운데 어느 하나만 철저하게 관철하는 시인은 없다. 이 시인은 영감에 의지하는 쪽이다. 노래하러 오는 시를 기다리고 맞이한다. "펜에 감기는 말의 숨결"을 사랑한다.

그런데 그의 시는 언어의 의미 구성을 목표로 삼지 않는다. 그의 시는 언어 이전이거나 언어보다 더 근원적인 것에 가치를 부여한다. "전율과 전율 사이", "아득한 모름 사이"에 그의 시는 존재하려 한다.

"말을 깨야 시가 나온다." 불입문자라고, 교외별전이라고,

언어도단이라고 한다. 말을 깨뜨려야 비로소 시가 설 수 있음은 이 시인의 것이다.

1. 담론과 세류에 거리를 두고

이 시인은 읽는 사람을 그의 세계 속으로 끌어당기는 힘이 있다. 이 시인은 세상의 유행하는 담론과 세류로부터 자유롭다. "내가 바닥이라 부르는 것을 / 아랫층 사람들은 천정이라 부른다".(「생각은 누구의 주소인가」)

어떻게 하면 "노동"은 이렇게도 포착될 수 있겠는가?

철거 공사장
여윈 인부 한 사람
자신을 철거하듯
일하고 있다

비보다 땀에 더 많이 젖어
피로가 나와 하품하고 있다

후두둑. 빗방울 더 많이 떨어진다
하늘도 너무 힘들어 땀 흘리나 보다

삶은 노동의 계절

가끔씩 짠 눈물 흘리고 산다

진달래 한 그루

물끄러미 피고 섰다

─「노동의 계절」 전문

'나는 나를 파괴할 권리가 있다'. '노동'은, "삶은 노동의 계절"이라고도, "삶" 자체가 "노동"이라고도 말할 수 있고, 그 '노동하는 삶' 옆에서 "진달래 한 그루"가 무심하게, 혹은 "물끄러미" 바라보며 서 있을 수 있다. 그 자신의 삶만을 생각하는 게 꽃나무다.

이 시집에서 시인은, 자기를 살고, 자기의 감각과 감정으로 빚은 사유를, 독자들 앞에 자신만의 시적 언어로써 내비쳐 보인다. 독자로서 이들을 요령껏 잡아채는 일은 쉽지 않다. 하지만 그를 따라가는 길에 발견이 기쁨이 없다고 할 수 없다. 어느새 못 느끼던 세계를 공유하는 기쁨이 있다.

2. 완전히 새로운 생의 경험을 찾아

어떻게 노래하러 오는 시를 맞이할 것인가? 어떻게 펜에 감기는 말의 숨결을 잡아챌 수 있을 것인가?

이 시인이 자신의 열 번째 시집에서 그 방법론으로 삼은 것은 '첫 번째'로 길 떠나는 것, 정처 없이 떠도는 것이다. 하지만 그의 일상조차 떠나지 않았다고 말할 수 없다. 꼭 서울을, 한국을 떠나지 않았을 때조차 그는 순례자처럼 낯익은 낯섦 사이를 떠돈다. 삶과 삶의 시공간이 그에게 과연 무엇인가가 그의 시의 주제다.

이 시집의 1부 제목은 '수평선은 물에 젖지 않는다', 길을 떠난 사람은 생활에 젖을 수 없다. 생활의 '습'을 버리는 것, 이것이 그의 시다. 2부의 제목은 '0도의 흐름'이다. 숫자 '0'은 원점이다. 제2차 세계대전이 끝날 무렵 독일이 연합국에 항복한 1945년 5월 8일 한밤은 'Stunde Null'(0시), 모든 것이 끝나고 새로 시작하는 시점이다. '0도의 흐름'을 필자는 원점에서 끝나고 시작하는 흐름으로 읽는다. 3부의 제목은 '기억의 형용사'다. 이 시인에게 기억은 명사처럼 딱딱하지 않고 이름지워져 있지 않다. 이제부터 새로 이름 붙여야 할 미지의 것의 이름, 그것을 가리켜 형용사라 부른다.

이 시집 속에서 시인은 '습'에 갇힌 자기를 풀어 새로운, 미지의 경험을 향해 새로운 출발을 시도한다. 주어진, 정해진 모든 것을 믿지 않기로 했으므로 이제부터 띄는 발걸음은 전부 새로운 것, 처음으로 만들어 가는 것이다. 가는 길에 바람이 불어온다. 말의 숨결이 노래가 되어 그를 찾아온다.

3. 놀라운 은유의 인생 수사학

이 시집 읽기를 어디서부터 시작할 것인가? 앞선 경험에 따르면 이 시인은 촌철살인의 강점이 있다. 말이 맺혀 있고, 행과 연이 응축되어 있는 곳에 이 시인의 순례길의 의미를 열어볼 단서들이 숨겨져 있으리라 생각해 볼 수 있다.

이 시인에게 전체는 부분을 확장해서 펼쳐놓는 것과 같다. 물론 그 전체가 부분과 꼭 같을 수는 없다. 확장은 또 다른 세계를 낳게 되지만 우선은 그의 시의 미학이 작게 응집된 곳에서 시작해 보기로 한다.

허공은 영원의 몸

세상은 그림 족속

침묵하는 말

기쁨과 슬픔과 하나 되다가
행복이 놀러 오는 놀이터가 된다

삶은 시간을 따라다니는 그림자

신비에 손가락 하나 걸고 산다

세상은 갈대밭
갈등 많은 사람들

바람 없는 오늘
나무들이
초록빛 고독에 잠겨 있다

—「초록빛 고독」 전문

　시집 원고를 두 번째 읽으면서 이 시는 무조건 좋다고 생각했다. 시인은 이 시에서 자신이 마녀임을 알린다. 마음대로 건너뛰고 부리는 자, 이름하여 마녀라 하지 않겠는가. 이 행과 행 사이, 연과 연 사이의 비약, 이에 스며든 사유의 비약, 감각과 감정의 비약을 견딜 수 있다면 이제 이 마녀의 고독에 동참할 때가 된 것이다.

"허공"은 어째서 "영원의 몸"이냐? "세상"은 어째서 "그림 족속"이냐? 어째서 "삶"은 "시간을 따라다니는 그림자"냐? "신비에 손가락 하나 걸고" 사는 자, 누구냐?

어째서 이 시의 마지막 연은 "초록빛 고독"에 "잠겨 있"는 "바람 없는 오늘"의 "나무들"에 관한 것이 되어야 했느냐? 이렇게 많이 물었지만, 분석으로는 그 해답에 도달할 수 없다. 직관(intuition)은 비약적 사유의 산물, 영감(inspiration)의 짝패, 이 시인의 수수께끼 놀이에 참여하려면 어울리지 않는 것들을 순간적으로 묶어내는 이 시인의 비유법, 은유에 익숙해져야 한다.

> 몸이 화살표다
>
> 어디로 가라는 화살표인가?
>
> 온 바다 헤매는 화살표,
>
> 따로, 방향할 곳이 없다는 거냐?
>
> 사는 건,
> 그냥,
> 헤매는 거란 말인가?
>
> —「오징어」 전문

참으로 유머러스하다. "몸이 화살표"인 오징어에게 화자가 묻는다. "어디로 가라는 화살표인가?", 이것은 삶에 대한 화자의 물음이요, "따로, 방향할 곳이 없다는 거냐?", 이것은 화자 자신의 대답이라고 보아도 된다.

삶에 무슨 필연적인 방향이 있나? "그냥, 헤매는 거" 아니냐. "화살표"인 것 같지만 가리킬 곳이 없다. "온 바다 헤매는 화살표", 이게 우리의 인생이 아니냐.

> 가을은 **뺄셈만** 하더니
> 봄날은 덧셈만 한다
>
> 나란한 복사꽃들
> 옛 미소에 떠 있고
> 미로 속에 반복이 환하게 웃고 있다
>
> 허공이 붐빈다
> 꽃 나그네 웃는다
>
> 가장 귀한 것들에겐
> 보이지 않는 길이 있다
>
> 반공중 어디쯤
> 알 수 없는 그곳
>
> 비단 살 꽃길
>
> 만져보는 봄날
>
> ―「숨은 신」전문

파스칼이 다 완성하지 못하고 세상 떠난 『팡세』에서 그토록 '숨은 신'을 찾아 헤매지 않았던가? 삶은 무엇이냐? 세상

어디에 영원이 있는가, 절대가 있는가? "가을"은 "뺄셈"만 하더니 "봄날"은 "덧셈"만 한다. 이 놀라운 비유로 낚아챈 "반복"의 나날 속에서 화자는 "허공"에 "봄"비는, 생명적 존재들의 "길"을 발견한다, 깨닫는다.

> 태어나는 건 지구에 탑승하는 것
>
> 허공 차창 너머,
>
> 수수만 년 차창 관광,
>
> 달도 보고 별도 보고
>
> 4호선 타고 명동 가듯
>
> 몇 호선 타야, 달엘 가나?
>
> 아직 ,
> 공사 중이다
>
> 흐릿한,
> 미개통 노선도가
> 은은한 미소를 보내고 있다
>
> ―「차창 관광」 전문

삶은 그러니까 "관광" 같은 것이다. "4호선 타고 명동 가듯" "지구에 탑승"해서 "허공 차창" 너머를 "관광"하는 것이다. 멀리 가 보고 싶다. "달"에라도 "별"에라도 가고 싶다.

"아직" "공사 중"이다. 서울은 이 필자에게도 늘 공사 중이었음을 새삼 기억한다. 슬며시 웃어 본다.

인생은 가고 싶은 데까지 다 못 가 보고 끝나는 것이다. 도대체가 끝을 보지 못하고 끝나는 게 인생인 것이다. 이 은근한 유머는 끝까지 가 보려고 한 사람의 것이다.

4. 방향 모를 끝없는 순례길에서

갬미패스는 스위스 로이커바트의 고갯길이다. 이 고개에서 시인은 "바람 부는 날은 ㅍ이 바빠-"하는 놀라운 은유를 얻는다. 의인화도 하나의 은유가 아니던가. 이 갬미패스는 고갯길이기에, 시인은 "해석을 넘어가고 // 질문으로 간다"라고 한다.(「해석을 넘어가고 질문으로 간다」) "해석"과 "질문" 사이에 고갯길을 넘는 여백의 강이 놓였다.

울주의 천전리 암각화를 보러 가서 시인은 "과거와 현재는 너무 닮은 형제"임을 깨닫는다. 암각화는 "늙지 않는 영원"과 "대답 없는 질문"을 생각하게 한다.(「그를 방랑하다」)

"팔왕눈이 주목"의 발왕산에 가서 시인은 "오늘 화면"이 "환하게" 밝아옴을 깨닫는다. 이 "오늘", "날마다는, TV 화면보다 더 먼 곳으로부터"오는데, 마침 "오늘"의 이름은 "9.20"이다.(「채널 9.20」)

스위스 리기산은 "흐름만이 길"이며 "제 자리는 본래 없다"는 것을 깨닫게 한다.(「리기산이 시 속을 지나가다」)

군산은 성년에 이른 한국 사람 누구나 한 번쯤은 가보고 싶은 곳이리라. 장항 아래 군산, 장항선이 바다를 건너 다다를 수 있게 된 군산, 채만식 장편소설 『탁류』가 오늘에 흐르는 군산이다. 이 낯익은 도시를 시인은 어떻게 노래하던가?

한낮 군산 햇살,
흰살 생선보다 더 희다

삶은 한 묶음 허기

무엇이라도 움켜 잡으려,
어부는
자주
그물을 던진다

양어장 같은 집들,
치어처럼 자라나는 사는 애기들
익혀도 익혀도 날 것 같은 삶
갓 잡은 생선처럼 빠져 나간다

놋그릇처럼 닦아야 윤나는 옛날 거리,
잘 닦여 반짝 눈 뜬 놋그릇 가득
흰찰쌀보리밥을 비벼 먹는다

바다 속 애기를 알알이 담아 온 날치알들이
"꺄르륵" 웃음으로 쏟아지고 있다

멸치 떼처럼 몰려가는 사람들 넘어
지나가다 들려 가는 오랜 친구처럼
풍경이 잠깐 안부 묻고 간다

삶은 지나감으로 익히는 과일
길 가, 담 너머 감이 익고 있다

낮으로 구운 숯,
까만 밤에,
누군가 울긋불긋 불 피우고 있다

—「군산」전문

다른 곳에서 은유법이던 것이 군산에서는 직유법이 된다. 은유에 직유가 어울려 필자가 보았던 바로 그 군산 같은 군산이 된다. "흰살생선"보다 더 흰 "한낮"과 "낮으로 구운 숯"의 "까만 밤"을 가진 삶의 "허기"를 가진 "어부"들의 "옛날 거리"와 찾아온 사람들의 풍경들이 이 풍경화 한 폭에 더하고 뺄 것 없이 담겼다. "삶은 한 묶음 허기"란다. "어부는" "무엇이라도 움켜잡으려" "자주" "그물을 던진단다".

고흐가 마지막으로 삶을 기댔던 오베르쉬르와즈에서 시인은 영혼의 형제 빈센트와 테오 형제를 생각한다. "한 번씩 죽어 봤던 일밖엔" 그들에게는 "아무 일도 없었다고" 생각한다. 살아생전 고흐는 제대로 그림을 팔지 못했고, 형이 세상을 떠나자 아우도 거짓말처럼 세상을 등졌었다. 그의 값없던 그림들은 신화가 되었다.(「바람의 종을 치다」)

이 바람의 순례자는 타이뻬이 용산사에 이르러 삶이란 무엇이었던가를 다시 한번 생각한다.

태어났는지 모르고 태어났듯
가지 않았는데
도착한

타이페이 용산사龍山寺

삶이 나 몰래 태어나듯
나 몰래 기도가 길어 갔나?

이름표 같은 얼굴들

몽상을 풀어 놓는 바람

소원이 풀려나오는 종소리

믿을 신에
믿는 사람

불안이 밥이다

　　　　　　　　―「삶이 나 몰래 태어나듯」 전문

　이 순례자의 여행의 시 한 편 한 편은 시간을 오래 들여서
쓴 것들이다. 위의 시가 보여주듯 한 연 한 연은 뜨거운 차
한 잔이 족히 식을 시간들의 산물이며, 고요히 사물과 자연
의 흐름에 몸과 마음을 맡기고 싶었던 시간들의 흔적이다.
　가지 않았는데 온 것만 같은 타이뻬이 용산사에서 시인은
태어나지 않았는데 살고 있는, 삶의 아이러니를 생각한다.
따뜻한 차가 여러 잔이 식었다.
　제주에서 시인은 모르는 곳에서 와 모르는 곳으로 가는 사
람들을 본다. 꽃이 지는 것을 본다. "꽃에 살던 빨강도 / 어
디론가 가고 있다". 제주의 민속촌에서 시인이 본 것은 사람
들보다도 시간이다. 흘러가는 "오늘"이다.(「제주, 시간 민속촌」)

5. "無"를 어떻게 감내할 것인가?

그러니까 이 시집은 방향 모를, "화살표" 없는 바닷속 같은 세상을 바람처럼 멀리, 가까이 떠돌며, 어디서 와서 어디로 가는지 모를, "오늘"을 사는 자기 존재의 삶의 의미를 계속해서 물어가는 행위의 연속체라고 말할 수 있다.

이 시집에는 "흐름"이라는 시어가 유난히 많이 등장하는데, 이것은 다시 "순간"과 짝을 이룬다. 하나의 연결체로 등장한다는 뜻이 아니다. 시인은 한없이 펼쳐진 공간, 끝없이 흐르는 시간 속에 한 점으로 존재하는 자신의 삶의 의미를 묻고 또 묻는다.

흐름에 맡겨진 순간의 존재라는 것, 이것이 아마도 시인이 계속해서 생각하는 삶에 대한 감각이자 감정일 것이다. 다음의 시들은 그러한 깨달음의 표현이라고 해도 좋다. 피어난 꽃의 깊은 아름다움 속에서 삶의 한계를 본다.

언어가,

"계속은 계속을 없게 해"라고
말하는 동안

말 없는 세상과
말하는 사람
사이로
꽃이 피어난다

꽃불났네 불갑사!

꽃 필 땐 지는 시간도 핀다

벨소리처럼 사람을 부른다
                    —「꽃 필 땐 지는 시간도 핀다」 전문

꽃무릇 "꽃불"처럼 피어난 삶도 "벨소리"가 나면 져야 하
는 것이다. 이 아이러니와 역설을 다음의 시처럼 명석하게
보여준 것이 또 있던가?

십이월,
살진 무無의 계절

허공에서
실한 무無를 뽑아올린다

하늘밭에서도
누군가
구름 뿌리를 쑥쑥 뽑아내고 있다
                    —「십이월」 전문

"살진", 탐스러운 "십이월"의 "무"가, 그 "실한" "무"가, 바로
또 덧없는 "無"인 것이다. 땅의 밭의 이치를 깨닫고는 "하늘
밭"을 올려다보지 않을 수 있으랴.
  이 "無"의 인생, 삶은 하루, "오늘"의 무용함을 일깨우며,
단 한 번으로 사라지는 모든 일회용의 이름 목록에 '나' 자신

의 이름을 기입해 넣도록 한다.(「나를 여는 문」) 이 시간의 추위를 자각하며 "지구에 싹튼 것 것만으로도 / 별을 딴 것"이라고 위안을 삼게 한다.(「오늘 반 조각」)

어떻게 이 "無"의 삶을 건너갈 것인가?

내 맘이 고요를 분실했다

고요를 찾으러 강가로 갔다

물은 상처를 아파하지 않았다

바로 지웠다

—「분실」 전문

"고요"를 유지하고, 잃어버리지 않고, "아파하지" 않는 것이다. 이 삶은 우연, 근원도 갈 곳도 모를, 정처 없는 "화살표"에 불과할 것이기 때문이다. "나무들"의 "초록빛 고독"을 잊지 않아야 한다. 그리고 삶이 유머이고 놀이임을 되새김하는 것이다.

세상을 조금 떼어내 우린다

차향茶香 속 깊숙이 들어가 놀아 본다

세상은 너무 크고
나는 너무 작아
어디든 들어가 놀아 볼 수 있다

차 향기 길 따라
책상 위 유리벽에
하늘이 왔다

하늘에 시를 쓰자
구름이 읽고
눈雪 미소가 녹는다
피는 하늘과
지는 생각들 모여 재깔댄다

오늘은 마법의 정거장

사람들,
모르는 곳처럼 출발하고
아는 곳처럼 도착한다

공간이 시간 속으로 흘러들고 있다

―「카페, 미로迷路」, 전문

"세상을 조금 떼어내 우"린 그 "차향茶香 속 깊숙이 들어가 놀" 수 있는 시인, "세상은 너무 크고 / 나는 너무 작아 / 어디든 들어가 놀아 볼 수 있다"는 이 시인의 마음을, 하나의 경지에 도달한 길고 긴 '방랑'의 높은 결과물이라고, 필자는 생각해 본다. "하늘에 시를 쓰자 / 구름이 읽고 / 눈雪 미소가 녹는다"는 이 자유의 고독을 누가 쉽사리 얻어들일 수 있었겠는지?

그리하여 이 자유의, '혼자 놀이'의 고독이 "사랑"을 말할 때, 필자는 그가 말하는 "사랑"이 얼마나 쓸쓸한 것인지 함

께 느낄 수 있다.

　삶은 탄생에 부딪힌 표류

　하나라서
　기쁘고,
　슬픈,
　하나,
　사람

　끝없는 표류 속
　너와 나는 딴 몸

　너와 나 경계가 있어
　너를 사랑할 수 있다

—「표류」 전문

　이 시인을 따라 이 지구 세계 멀고 가까운 곳을 떠도는 필자의 순례길은 여기까지다. 이 시집의 시편들 곳곳에 감춰져 있는, 예상을 깨고 뒤엎는 은유들의 놀라운 사연들에 대해서는 일일이 다 쓰고 드러내지 못하였다.
　다만, 들어가 볼수록, 들여다볼수록, 이 비약들, 여백과, 행연의 자유로움이 귀하게 느껴짐을 어찌할 수 없다.
　모든 사람이 그렇듯 시인들 모두는 저마다의 운명의 언어가 있어, 이 시집을 통해 동시영이라는, 쉼 없이 시의 길을 가는 한 시인의 마음의 깊은 곳을 잠깐 들여다 볼 수 있었는지 알 수 없다.

시라는 것이 모름지기 남이 다 쓰는 식으로는 안 되는 것이라면 이 시인은 이 열 번째 시집에 이르러 확실히 자신이 어떤 존재인지 밝혀 놓은 것도 같다. 눈 밝은 독자들이 이 언어의 순례길에서 생의 의미 너머의, 근원적인 감각을 깨치는 즐거움을 얻을 수 있으리라 믿는다.

동시영

동국대학교 국어 국문학과 졸업. 한양대학교 국어국문학과 박사 졸업
(문학 박사). 독일 레겐스부르크대학교(Regensburg university) 인문학
부 수학.
한국관광대학교, 중국 길림 재경대학교 교수 역임.
2003년『다층』으로 등단.
시집『미래 사냥』,『낯선 신을 찾아서』,『신이 걸어 주는 전화』,『십일월
의 눈동자』,『너였는가 나였는가 그리움인가』,『비밀의 향기』,『일상의 아
리아』,『펜 아래 흐르는 강물』,『마법의 문자』. 연구서『노천명 시와 기호
학』,『한국 문학과 기호학』,『현대 시의 기호학』. 기행 산문『여행에서 문
화를 만나다』,『문학에서 여행을 만나다』.
박화목 문학상 시 부문 본상, 시와시학상 젊은 시인상, 한국 불교문학상
대상, 제32회 동국문학상 시 부문, 영랑문학상 평론 대상, 제7회 월탄 박
종화문학상 수상. 한국 문화예술 위원회 창작 지원금 수혜.

서정시학 시인선 214
수평선은 물에 젖지 않는다

2024년 3월 19일 초판 1쇄 발행

지 은 이 · 동시영
펴 낸 이 · 최단아
편집교정 · 정우진
펴 낸 곳 · 도서출판 서정시학
인 쇄 소 · ㈜ 상지사
주 소 · 서울시 서초구 서초중앙로 18, 504호 (서초쌍용플래티넘)
전 화 · 02-928-7016
팩 스 · 02-922-7017
이 메 일 · lyricpoetics@gmail.com
출판등록 · 209-91-66271

ISBN 979-11-92580-27-2   03810

계좌번호: 국민 070101-04-072847 최단아(서정시학)
값 13,000원

* 잘못된 책은 바꾸어 드립니다.

서정시학 시인선